Jojo

Rachel Barnes

Direction éditoriale : Béatrice Rego
Marketing : Thierry Lucas
Édition : Aude Benkaki
Couverture et conception maquette : Dagmar
Mise en page : AMG
Illustrations : Jeanne Dang

© 2019, SEJER
ISBN: 978-209-031258-4

© 2019, SANTILLANA EDUCACIÓN, S.L.
Torrelaguna, 60 – 28043 Madrid
ISBN: 978-84-904-9309-0

Dépot légal : janvier 2019

DÉCOUVRIR

1. Relie les mots avec le dessin.

a. triste •

b. heureuse •

c. triste •

d. heureux •

1.

2.

3.

4.

2. Observe.

Observe les illustrations du livre et cherche les personnes qui sont tristes. Lis le résumé de la couverture et devine pourquoi...

3. Place correctement les vignettes.

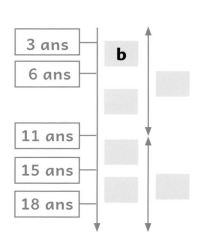

3 ans

6 ans

b

11 ans

15 ans

18 ans

a. **Adolescence**

d. **Lycée : 2de, 1re, Terminale**

b. **École maternelle**

e. **École Primaire : CP, CE1, CE2, CM1, CM2**

f. **Enfance**

c. **Collège : 6e, 5e, 4e, 3e**

4. Conjugue.

Conjugue les verbes **VOULOIR** (je veux,
tu veux, il veut) et **DEVOIR** (je dois, tu dois, il doit)
pour trouver le mot caché.

Mon pè **R** e dit :

« Ta mère **v** ...... ut une maison propre.

Tu **doi** ...... ranger

les pa **P** iers.

La famille **d** ...... it manger

do **N** c

je **doi** ...... préparer

le rep **A** s.

À ta **B** le !

C'est **L** 'heure !

Je **v** ...... ux montrer l'exemple. »

Je veux être .... !

PERSONNAGES

La famille Caldin

Le père : Jacques

La mère : Annie

Le fils : Fabien

La fille : Aude

Le chien : Pitou

Le lapin : Jojo

J'ai deux cadeaux : un livre et un lapin avec sa cage.

CHAPITRE ① Aude

Aujourd'hui, c'est le 4 septembre.

Aujourd'hui, c'est mon anniversaire.

Je suis heureuse, et je suis triste.

Je suis heureuse : j'ai douze ans. Je suis triste : j'ai douze ans.

Je suis heureuse : je suis libre. Je suis triste : je suis responsable.

Je suis heureuse : c'est le début de l'adolescence. Je suis triste : c'est la fin de l'enfance.

* * *

Je m'appelle Aude Caldin. Demain, c'est la rentrée. Demain je suis en 5e.

Mon frère s'appelle Fabien. Il a 15 ans. Il est en 2nde.

Mes parents s'appellent Jacques et Annie.

Nous habitons dans un appartement à Paris. L'appartement n'est pas grand : un salon, une cuisine, une salle de bains, une chambre pour mes parents, une chambre pour mon frère et une chambre pour moi.

J'ai deux cadeaux d'anniversaire : un livre (de mon frère) et un lapin avec sa cage (de mes parents).

Mon lapin s'appelle Jojo. Il est jeune. Il est brun. Il a deux longues oreilles brunes. Il a un petit nez rose. J'aime beaucoup sa petite langue.

J'ai douze ans, et je suis heureuse d'avoir un lapin.
Ce matin, ma mère me dit :
– Il faut nettoyer la cage ! Tu es responsable !
Ce matin, mon père me dit :
– Il faut donner à manger tous les jours à ton lapin !
Tu es responsable !
Ce matin, mon frère me dit :
– On mange le lapin aujourd'hui ! Ha, ha, ha !
Moi, je dis : je ne suis pas une enfant, je suis grande et je suis libre. Je m'occupe de mon lapin comme je veux.

****

cadeau : *objet qu'on donne à quelqu'un pour son anniversaire, pour Noël...*
cage : *maison du lapin.*
nettoyer : *laver.*

Tu es responsable : il faut nettoyer la cage !
Il faut donner à manger tous les jours à ton lapin !

Le téléphone sonne. C'est ma copine Julie.

– Joyeux anniversaire, Aude !

– Merci.

– Tu as douze ans ! Tu as de la chance !

– Oui, j'ai de la chance. Je suis **une ado** maintenant.

– Tu as de beaux cadeaux ?

– Oui : un livre et un lapin.

– Un lapin ?

– Oui. J'aime les animaux. Mon frère a un chien, et moi, maintenant, j'ai un lapin. Je suis très contente.

– Il a un nom, ton lapin ?

– Oui, il s'appelle Jojo.

– Bon alors, demain **je peux** venir chez toi pour voir Jojo ?

– D'accord ! tu peux venir à la maison après le collège.

– Super ! À demain !

– À demain !

Je vais dans ma chambre pour voir Jojo. Catastrophe ! La cage est vide ! Où est mon lapin ?

---

un(e) ado : *un(e) adolescent(e).*
je peux : *pouvoir (je peux, tu peux, il peut, nous pouvons, vous pouvez, ils peuvent), avoir la permission, l'autorisation. Je peux manger un peu de gâteau ?*

Catastrophe ! la cage est vide !

J'ai douze ans, et je ne sais pas où est mon lapin.
Ce soir, ma mère me dit :
– Il faut trouver le lapin ! Tu es responsable !
Ce soir, mon père me dit :
– Il faut trouver le lapin ! Tu es responsable !
Ce soir, mon frère me dit :
– Ha, ha, ha !
Moi, je dis : je suis triste.

* * *

COMPRENDRE

1. Vrai ou Faux ?

	V	F
a. Aude a treize ans.	☐	☐
b. Demain, c'est la rentrée.	☐	☐
c. La famille Caldin habite à Marseille.	☐	☐
d. Aude est fille unique.	☐	☐

2. Qui parle ? Relie.

a. Il faut donner à manger tous les jours à ton lapin.   •   • Aude

b. Demain, je suis en 5e.   •   • Fabien

c. On mange le lapin aujourd'hui ! •   • Annie

d. Il faut nettoyer la cage.   •   • Jacques

3. Remets l'histoire dans l'ordre.

a. Aude a un lapin : un cadeau d'anniversaire.

b. Le lapin n'est pas dans la cage.

c. Aude va dans sa chambre voir le lapin.

d. Aujourd'hui, c'est le 4 septembre.

e. C'est l'anniversaire d'Aude.

f. Julie téléphone à Aude, sa copine.

4. À ton avis...

Où est Jojo ? Dans l'appartement ? Dans la cuisine ?
Dans une casserole ? Dans la salle de bains ?
Dans le lavabo ? Dans le salon ? Dans une chambre ?
La chambre de qui ?

5. Pour s'amuser...

Trouve 4 mots importants de ce chapitre puis complète
le texte.

a. a _ _ _ e _ _ _ n _ _ _

b. _ _ _ t _ _ e

c. _ _ s _ _ n _ _ b _ _

d. _ _ n i _ _ _ _ a _ _ e

Aujourd'hui, 4 septembre, c'est mon ....
C'est pour moi la fin de l'enfance et le début de
l'... . Je suis libre et
je suis .... Demain,
5 septembre, c'est la ....

Il faut marcher, prendre le bus...

CHAPITRE ② Fabien

Aujourd'hui, c'est le 5 septembre.

Aujourd'hui, c'est le lycée.

Je suis heureux, et je suis triste.

Je suis heureux : j'ai quinze ans. Je suis triste : j'ai quinze ans.

Je suis heureux : je ne vais pas au collège, je vais au lycée. Je suis triste : je ne vais pas au collège, je vais au lycée.

Je suis heureux : au revoir, les petits ; maintenant, c'est sérieux ! Je suis triste : c'est sérieux, il y a beaucoup de travail !

* * *

Je m'appelle Fabien. Je suis le grand frère d'Aude.

Je suis au lycée, en 2nde. Le lycée est loin. Il faut marcher, prendre le bus, et encore marcher. Il faut se lever tôt. Les cours commencent à 8 heures. Je suis content : mon copain Julien va au même lycée. Il habite dans ma rue. Le matin nous pouvons aller ensemble au lycée.

marcher : *aller à pied.*

Il est 7 heures 15. Je vois Julien devant ma maison.

– Salut !

– Salut ! Ça va ?

– Oui, et toi ?

– Ça va. Tu es content d'aller au lycée ?

Je ne sais pas. Ce matin, j'ai sommeil.

– Moi aussi.

Nous marchons en silence.

Le bus arrive.

– Tu sais, depuis hier, ma sœur a douze ans.

– Douze ans ? Et elle est contente ?

– De ses cadeaux, oui : un livre (mon cadeau) et un lapin (le cadeau de mes parents).

– Un lapin ?

– Oui. Elle aime les animaux.

– Mes parents n'aiment pas les animaux. Moi, je ne peux pas avoir d'animal à la maison. Ils ne veulent pas.

– Maintenant, ma sœur et moi, nous avons tous les deux un animal : moi, j'ai mon chien et elle a un lapin.

Je commence à rire. Julien est surpris.

---

je vois : *voir (je vois, tu vois, il voit, nous voyons, vous voyez, ils voient). Il fait nuit. Je ne vois pas bien.*
j'ai sommeil : *je veux dormir.*
ils ne veulent pas : *ils ne permettent pas. Ils ne donnent pas l'autorisation.*

Je commence à rire.
Julien est surpris.

– Qu'est-ce qui se passe ?

– C'est ma sœur. Elle ne trouve pas son lapin.

– Il n'est pas dans une cage ?

– Normalement, oui, mais la cage est vide...

– Depuis quand est-ce que la cage est vide ?

– Depuis hier soir.

– Hier soir ? Et ta sœur ne trouve pas son lapin ce matin ?

– Non. Elle pleure beaucoup.

– Mais votre appartement n'est pas grand !

– Je sais.

– Et puis, il y a ton chien.

– Oui, mon chien cherche aussi, mais pas pour la même raison ! Ha, ha, ha !

Le bus est devant notre **arrêt**. Julien me voit rire encore.

– Eh ! pense à Aude ! La pauvre !

– Oh, regarde ! Voilà le lycée. Il est grand !

****

J'ai quinze ans, et je suis au lycée.

Le lapin de ma sœur me fait rire ; le lycée ne me fait pas rire : c'est sérieux !

---

arrêt de bus : l'autobus s'arrête, stoppe à l'arrêt de bus et les personnes montent ou descendent.

Voilà le lycée !
Il est grand !

✏ COMPRENDRE

1. Vrai ou Faux ?

	V	F
a. Le frère d'Aude s'appelle Julien.	☐	☐
b. Il va au collège.	☐	☐
c. Il prend le bus.	☐	☐
d. Il va au lycée avec un copain.	☐	☐

2. Qui parle ? Relie.

a. Ma sœur a douze ans. •

b. Mes parents n'aiment pas
les animaux. •   • Fabien

c. Elle ne trouve pas son lapin. •   • Julien

d. Depuis quand la cage est vide ? •

e. Pense à Aude, la pauvre ! •

3. Remets l'histoire dans l'ordre.

a. Fabien marche en silence avec son copain Julien.

b. Fabien n'est pas triste pour sa sœur.

c. Fabien raconte l'histoire du lapin à Julien.

d. Ils arrivent au lycée.

e. Julien comprend Aude.

f. Julien est surpris.

4. À ton avis...

Fabien rit de l'histoire du lapin. Tu penses qu'il sait où est Jojo ?

5. Pour s'amuser...

Devine les mots puis complète les phrases.

a. Je dors dans mon ....
     Lettre n° 3 de l'alphabet français ....

→ Tous les matins, Fabien et Julien vont au ....

b. Lettre n° 1 de l'alphabet français ....
     Une négation : 2 lettres ....
     Je dis « Ouille ! Aïe ! » quand j'ai ....

→ Julien n'a pas d'.................. chez lui.

Je vais laisser une petite carotte dans la chambre d'Aude.

CHAPITRE 3 Annie

Aujourd'hui, c'est le 5 septembre.

Aujourd'hui, Fabien est au lycée, Aude est au collège.

Je suis heureuse et je suis triste.

Je suis heureuse : mes enfants sont déjà indépendants, je suis libre de mon temps. Je suis triste : mes enfants sont encore dépendants, je ne suis pas libre de tout mon temps.

* * *

Je m'appelle Annie, Annie Caldin. Je suis la maman d'Aude et de Fabien.

Il est 8 heures. L'appartement est **propre**. Tout est propre, mais je ne trouve pas ce Jojo. Quelle idée d'acheter un lapin ! Où il est, cet animal ? Bon, maintenant, je ne peux pas chercher. Je vais au supermarché pour acheter du pain, de la viande, etc.

Ah ! j'ai une idée : je vais laisser une petite carotte dans la chambre d'Aude...

---

propre : *bien lavé, en ordre, impeccable.*

Je suis au supermarché.

– Bonjour Mme Caldin !

– Ah, bonjour Mme Decourt. C'est l'heure des courses pour vous aussi ?

– Oui. Mes enfants sont à l'école maintenant. Je suis libre.

– Moi aussi. Vos enfants ont quel âge ?

– Ils ont quatre ans et six ans. Et votre grand Fabien, il a quel âge maintenant ?

– Il a quinze ans.

– Oh là là ! Comme le temps passe. Et Aude ?

– Elle a douze ans depuis hier.

– C'est une grande fille !

– Oui, mais elle doit apprendre à être responsable !

Je raconte l'histoire du lapin. Mme Decourt n'est pas surprise.

– Avec les lapins, il y a toujours des problèmes.

– C'est vrai ?

– Oui. Attention au fil du téléphone, par exemple.

– Ah bon !? Qu'est-ce que je peux faire ?

– Et votre chien ? Les chiens aiment les lapins, non ?

les courses (faire les courses) : *action d'acheter les aliments : pain, viande, légumes, lait...*

Avec les lapins, il y a toujours des problèmes.

– Oui, mais il n'est pas intéressé. Il préfère dormir dans le salon, devant le canapé.

– Bon courage !

– Merci. À vous aussi.

* * *

Je suis dans l'appartement. Je pose mes sacs. Je vais dans la chambre d'Aude. Oh ! La carotte est un

---

canapé : *meuble (confortable) pour s'asseoir, pour 2 ou 3 personnes, sofa.*
Bon courage ! : *expression pour donner de l'énergie à quelqu'un.* Je dois étudier. Demain, j'ai un examen difficile.
– Bon courage !

peu mangée. Le chien n'aime pas les carottes. Le lapin est sans doute dans la chambre.

Je vais à la cuisine. Je passe devant le salon et je vois le chien devant le canapé. Le lapin est dans la chambre et le chien est tranquille dans le salon ! Ah, il est idiot, ce chien !

* * *

Mes enfants sont grands : ils sont au collège et au lycée. Ils veulent des animaux, mais ils doivent apprendre à être responsables ! Dans cet appartement, je ne veux pas de lapin en liberté et je ne veux pas de chien inutile ! Je veux un appartement en ordre !

Ah, mes enfants sont indépendants et dépendants. Je suis heureuse et je suis triste.

Oh ! La carotte est un peu mangée !

✏ COMPRENDRE

1. Vrai ou Faux ?

	V	F
a. Annie est la sœur d'Aude et de Fabien.	☐	☐
b. Elle laisse une carotte pour Jojo dans le salon.	☐	☐
c. Elle va au supermarché.	☐	☐
d. Elle raconte l'histoire du lapin à une dame.	☐	☐
e. Elle trouve que son chien est idiot.	☐	☐

2. Qui parle ? Relie.

a. Ils ont quatre ans et six ans. ●

b. Avec les lapins,
il y a des problèmes. ●

c. Il a quinze ans. ● ● Mme Caldin

d. C'est une grande fille ! ● ● Mme Decourt

e. Attention au fil
du téléphone ! ●

f. Il préfère dormir dans
le salon, devant le canapé. ●

3. Remets l'histoire dans l'ordre.

a. Je m'appelle Annie, je suis la mère d'Aude
et de Fabien.

b. Je vois que la carotte est un peu mangée.

c. Je suis au supermarché.

d. Je vais dans la chambre d'Aude.

e. Je pose mes sacs.

4. À ton avis …

Jojo est dans la chambre d'Aude, comme le pense Annie ?

5. Pour s'amuser...

Mets les mots en ordre puis complète le message qu'Annie laisse à Jacques avant d'aller au supermarché.

a. E C L O E : ....

b. P U M E R A S R H E C : ....

c. H E B C M R A : ....

d. C Y L E E : ....

e. L E C L E G O : ....

Les enfants sont à l'_____ ,

Aude au _____ et Fabien

au _____ .

Moi, je suis au _____ . Le lapin : mystère !

Tu peux chercher dans la _____

des enfants.

Le chien veut aller courir dans le parc avec moi.

Aujourd'hui, c'est le 5 septembre.

Aujourd'hui, je ne travaille pas.

Je suis heureux.

Je suis heureux : mes enfants sont grands.

Je suis heureux : j'aime mon travail.

Je suis heureux : j'ai un ordinateur et il est tout neuf.

***

Je m'appelle Jacques, Jacques Caldin. Je suis le père d'Aude et de Fabien. Je suis le mari d'Annie.

Il est 8 heures. Quand je travaille, je dois me lever très tôt, à 6 heures. Ce matin je dors jusqu'à 8 heures. C'est super !

Je me lève. Je m'habille. Je prends mon petit déjeuner. Je me brosse les dents. J'écoute les informations à la radio.

Il est 9 heures. Ma femme, Annie, est au supermarché. Le chien me regarde : il veut aller courir dans le parc avec moi.

---

neuf : *nouveau.* Mon cartable est vieux. Je vais acheter un cartable neuf.

Il est 10 heures : Je suis sous la douche.

Quelques minutes plus tard, ma femme rentre du supermarché. Elle va directement dans la chambre d'Aude. Je vais lui dire bonjour. Je suis de bonne humeur :

– Ça ne va pas ?

– Non ! Ce lapin m'énerve. Il se cache. Regarde cette carotte !

– Oui mais, il ne peut pas être loin.

– Pas loin, mais où ?

– Je ne sais pas. Mais le chien peut le trouver...

– Le chien !!! Il est nul ! Regarde, il est encore couché devant le canapé.

– C'est normal, il est fatigué, après le parc. Ne t'inquiète pas, j'installe mon ordinateur et après, je cherche Jojo avec lui. D'accord ?

***

Mon ordinateur est dans le salon, sur le bureau. Je suis content : les enfants sont à l'école, c'est le silence à la maison. Je peux travailler tranquille.

---

il m'énerve : *il me fait perdre mon calme.*
se cacher : *se mettre dans un endroit où personne ne peut nous voir. Mon petit frère adore se cacher dans des endroits impossibles (sous les lits, dans les armoires...) mais quand nous le trouvons, il est très content.*
couché : *étendu. Je suis couché dans mon lit, je vais dormir.*

Ce lapin m'énerve. Il se cache.
Regarde cette carotte !

J'allume l'ordinateur. Rien.

Je regarde la **prise** derrière le canapé. Tout va bien.

J'allume encore l'ordinateur. Rien.

Je regarde derrière l'ordinateur. Tout est normal.

J'allume l'ordinateur. Rien.

Qu'est-ce qui se passe ?! Mon ordinateur est tout neuf ! Ce n'est pas normal, ça ! Ah, il faut rapporter l'appareil au **magasin**. J'ai la garantie, mais c'est quand même **énervant** !

---

allumer : *mettre en marche.* Pour allumer une machine, il faut appuyer sur ON.
prise : *dispositif qui permet un contact électrique.*
magasin : *boutique.*
énervant : *irritant, exaspérant.* Le chien du voisin aboie beaucoup. C'est énervant !

J'enlève le fil de la prise et... je comprends le problème : le fil est à moitié mangé !!!

Maintenant je sais pourquoi mon ordinateur ne fonctionne pas : c'est à cause du lapin !!!

Je vais voir ma femme dans la cuisine.

– Regarde le fil de mon ordinateur !

– Oh ! c'est sans doute le lapin !

– C'est possible ! Quelle idée de donner un lapin à Aude ! Si je trouve ce lapin...

* * *

Je ne suis pas content : je suis en colère !

à moitié mangé : *détérioré.*

Et je comprends le problème !
Le fils est à moitié mangé !

1. Vrai ou Faux ?

         V   F

a. Aujourd'hui, Jacques va au travail à 9 heures. ☐ ☐

b. Il est seul à la maison avec le chien. ☐ ☐

c. Il va au parc courir avec le chien. ☐ ☐

d. Ils vont chercher Annie au supermarché. ☐ ☐

2. Qui parle ? Relie.

a. J'ai un ordinateur
et il est tout neuf. •

b. Non ! Ce lapin m'énerve. •   • Jacques

c. Ça ne va pas ? •

d. Le chien, il est nul ! •   • Annie

f. J'installe mon ordinateur
et après, je cherche Jojo. •

3. Remets l'histoire dans l'ordre.

a. Jacques allume son ordinateur.

b. Il se lève, s'habille et prend son petit déjeuner.

c. L'ordinateur ne marche pas.

d. Jacques va courir dans le parc avec son chien.

e. Il découvre que le fil de l'ordinateur est à moitié
mangé.

4. À ton avis...

Que va faire Jacques maintenant ? Il va changer le fil
de l'ordinateur ? Il va chercher le lapin ?

5. Pour s'amuser...

1. Annie dit : « Un chien ne mange pas de carottes ».
Que mangent les chiens ? Et les lapins ? Relie.

● de la viande

● des os

a. le chien ●   ● de la salade

b. le lapin ●   ● des croquettes

● de l'herbe

● des carottes

2. Place ces phrases sur le schéma.
En haut, si c'est positif. En bas, si c'est négatif.

a. Jacques ne travaille pas.

b. Annie ne trouve pas le lapin.

c. Jacques a un ordinateur tout neuf.

d. L'ordinateur ne s'allume pas.

e. La prise est normale.

f. L'ordinateur ne fonctionne pas.

g. Jacques a la garantie.

h. Jacques découvre la cause de son problème.

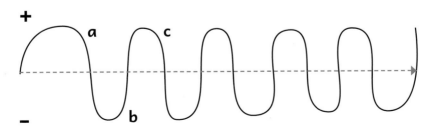

C'est l'heure du dîner.
Tout le monde est à table.

Ce soir, c'est le 5 septembre.

Aude est triste : elle ne peut pas montrer son lapin à Julie.

Fabien est triste : il ne peut pas jouer sur l'ordinateur.

Maman est triste : elle ne trouve pas le lapin.

Papa est triste : il ne peut pas installer son ordinateur.

Tout le monde est triste.

* * *

Il est 20 heures, c'est l'heure du dîner. Tout le monde est à table.

– Fabien, tu as beaucoup de devoirs à faire ce soir ? dit Maman.

– Oui. Mon **prof** d'histoire donne déjà des devoirs.

– Et toi, Aude ?

– Moi, j'ai des devoirs d'anglais. Je dois apprendre tous les verbes irréguliers et je dois faire des exercices. C'est beaucoup de travail !

---

un prof : *abréviation familière pour professeur, habituelle chez les jeunes.*

Fabien dit :

– Beaucoup de travail ? **Tu rigoles** ? C'est rien ça ! Regarde, moi, ce que j'ai à faire !

– Toi, tu es en 2nde, c'est normal, dit Aude.

– Pauvre petite ! Et en plus, elle ne sait pas où est son lapin ! C'est triste...

– Mais **arrête** !

– Mon chien n'a pas de cage, lui, mais je sais où il est !

– Laisse-moi tranquille !

Papa dit :

– Ça suffit tous les deux. Mais tu sais Aude, ton lapin, c'est un vrai problème.

– Je ne suis pas responsable : la cage ferme mal !

Aude commence à pleurer.

Soudain, le chien **saute** sur le canapé.

– Arrête !!! Pas sur le canapé ! Descends immédiatement ! crie Maman, en colère.

Mais elle s'arrête : elle entend **un bruit**. Toute la famille arrête de manger pour écouter.

---

tu rigoles : *tu veux rire (familier), tu n'es pas sérieux.*
arrêter : *cesser de faire quelque chose.* Arrête de jouer avec le chien. Va faire tes devoirs !
il saute : *il s'élève du sol et se retrouve sur le canapé.*
un bruit : *son que fait une chose.* Le moteur de l'avion fait beaucoup de bruit.

Soudain, le chien saute sur le canapé.

Mais le bruit s'arrête.

La famille recommence à parler et à manger.

– Attendez, écoutez ! dit maintenant Papa.

Toute la famille fait silence.

Le bruit s'arrête.

Maman dit :

– C'est le lapin. Il est derrière le canapé.

Elle regarde derrière le canapé : pas de Jojo !

Fabien regarde sous le canapé : pas de Jojo !

Aude regarde sous **les coussins** du canapé : pas de Jojo !

Papa regarde derrière le canapé. Tout en bas, il voit un petit **trou**. Il se baisse, et il regarde. Oui, il voit un trou.

Papa met sa main dans le trou, et il touche... Jojo ! Pour une surprise, c'est une surprise !

Il prend Jojo dans sa main et il retire sa main du trou.

Le lapin veut sauter et donne des coups de pattes pour s'échapper, mais Papa a de grandes mains. Le lapin baisse alors les oreilles. Il baisse la tête, et il a l'air triste. Le jeu est terminé !

* * *

C'est fini !

Maman est triste : elle voit le trou dans son canapé. Maman est contente : elle sait où est le lapin.

Aude est contente : elle a son Jojo. Aude est triste : elle comprend que s'occuper d'un lapin, c'est un peu difficile !

---

coussin : *objet sur lequel on s'assoie, on s'appuie.*
trou : *orifice.* Dans une prise, il y a deux petits trous.

Tout est bien qui finit bien !

Fabien est content : il « joue » avec le lapin quand Aude n'est pas à la maison. Fabien est triste : il n'a pas beaucoup de temps pour jouer.

Papa est triste : il doit remplacer le fil de son ordinateur. Papa est content : tout est bien qui finit bien !

* * *

✎ COMPRENDRE

1. Vrai ou faux ?

	V	F
a. Le soir du 5 septembre avant le dîner, tout le monde est content.	☐	☐
b. Pendant le dîner, ils parlent de l'école.	☐	☐
c. Ils ne parlent pas du lapin.	☐	☐
d. Fabien n'est pas sympathique avec Aude.	☐	☐

2. Qui parle? Écris les noms.

a. Pauvre petite, elle ne sait pas où est son lapin ! ....

b. Mais arrête ! ....

c. Ça suffit tous les deux. ....

d. Je ne suis pas responsable : la cage ferme mal. ....

e. Descends immédiatement ! ....

3. Remets l'histoire dans l'ordre.

a. Le chien saute sur le canapé.

b. Jacques sort Jojo du canapé.

c. Aude dit qu'elle a beaucoup de travail pour l'école.

d. Annie dit au chien de descendre.

e. Jacques dit à Aude que son lapin est un problème.

f. Jacques voit un trou en bas du canapé.

✏ COMPRENDRE

4. À ton avis...

Que veut dire la dernière phrase du chapitre ?
Trouve une expression équivalente dans ta langue.

5. Pour s'amuser...

1. Aude parle du professeur d'histoire. Trouve d'autres matières scolaires en mettant ces mots en ordre.

a. I E A Q T U S M M A E T H ....

b. S A I L G N A ....

c. M G Y ....

d. M C I H I E ....

e. Ç F R A I S A N ....

f. É P O H A R G I G E ....

2. À la fin de l'histoire, chaque personnage a des pensées tristes et des pensées heureuses. La grand-mère arrive le jour suivant, et chaque personnage raconte ses pensées :

Annie :
je suis contente : je sais où est Jojo. Je ne suis pas contente : il y a un trou dans le canapé

DISCUTER

Remplis le tableau suivant :

Chapitre	Personnages	Ce qui se passe
1		
2		
3		
4		
5		

Imagine...

a. Tu vas présenter ce livre à un(e) ami(e). Trouve un nouveau titre.

....

b. As-tu des animaux chez toi ? Lesquels ? Peux-tu raconter une histoire drôle ou triste sur un animal ?

c. Avec ton animal, il y a aussi des histoires, comme celle de Jojo ?

d. Dans cette histoire, le papa travaille, la maman reste à la maison. C'est la même chose chez toi ? Raconte.

pages 3 et 4
1. *a.* 1/2 b. 4 c. 1/2 d. 3
3. b – e – c – d – / f –a.
4. responsable

pages 12 et 13
1. *a.* F – b. V – c. F – d. F.
2. *a.* Jacques – b. Aude – c. Fabien – d. Annie.
3. *a.* 3 – b. 6 – c. 5 – d. 1 – e. 2 – f. 4.
Pour s'amuser...
a. adolescence – b. rentrée – c. responsable – d. anniversaire.
anniversaire – adolescence – responsable – rentrée.

pages 20 et 21
1. *a.* F – b. F – c. V – d. V.
2. *a.* Fabien – b. Julien – c. Fabien – d. Julien – e. Julien.
3. *a.* 1 – b. 4 – c. 2 – d. 6 – e. 5 – f. 3.
Pour s'amuser...
a. lit – C = lycée – b. A – ni – mal = animal

pages 28 et 29
1. *a.* F – b. F – c. V – d. V – e. V.
2. *a.* Mme Decourt – b. Mme Decourt – c. Mme Caldin – d. Mme Decourt –
e. Mme Decourt – f. Mme Caldin.
3. *a.* 1 – b. 5 – c. 2 – d. 4 – e. 3.
Pour s'amuser...
a. école – b. supermarché – c. chambre – d. lycée – e. collège.
école – collège – lycée – supermarché – chambre.

pages 36 et 37
1. *a.* F – b. V – c. V – d. F.
2. *a.* Jacques – b. Annie – c. Jacques – d. Annie – f. Jacques.
3. *a.* 3 – b. 1 – c. 4 – d. 2 – e. 5.
Pour s'amuser...
1. *a.* de la viande, des os, des croquettes. – b. de la salade, de l'herbe, des carottes.
2. Positif : La prise est normale. – Jacques a la garantie. – Jacques découvre la
cause de son problème.

CORRIGÉS

Négatif : L'ordinateur ne s'allume pas. – L'ordinateur ne fonctionne pas.

pages 44 et 45

1. a. F – b. V – c. F – d. V.
2. a. Fabien – b. Aude – c. Jacques – d. Aude – e. Annie.
3. a. 3 – b. 6 – c. 1 – d. 4 – e. 2 – f. 5.

Pour s'amuser...

1. a. mathématiques – b. anglais – c. gym – d. chimie – e. français – f. géographie.
2. Jacques : Je ne suis pas content, je dois remplacer le fil de mon ordinateur. Je suis content, tout est bien qui finit bien ! – Aude : Je suis contente, j'ai Jojo. Je suis triste : s'occuper d'un animal est un peu difficile. – Fabien : Je suis content , je peux jouer avec le lapin. Je ne suis pas content, je n'ai pas beaucoup de temps pour jouer.

N° d'éditeur : 10257623
Imprimé en France en juillet 2019 par Clerc à Saint-Amand-Montrond